글 다비드 칼리

다비드 칼리는 넘치는 유머와 독특한 리듬을 가진 작가입니다. 2005년에 〈나는 기다립니다〉로 바오밥상을, 2006년에는 〈피아노 치기는 지겨워〉로 볼로냐 라가치상을 수상했습니다. 〈범인은 고양이야!〉를 비롯하여 100권 가량의 어린이 책을 썼고, 30개국이 넘는 나라에 소개되었습니다.

그림 마갈리 클라벨레

마갈리 클라벨레는 리옹 출신의 일러스트레이터로, 에콜 에밀 콜에서 공부한 후 어린이를 위한 일러스트 작업을 주로 하고 있습니다. 대부분의 영감을 가족에게서 얻으며, 동물을 그리는 것을 특히 좋아합니다.

옮김 김이슬

대학에서 국문학을, 대학원에서 비교 문학을 공부했습니다. 옮긴 책으로 〈범인은 고양이야!〉, 〈부리 동물 출입 금지!〉, 〈정말로 진짜로 엄청난 마르셀〉 등이 있습니다. 검은 고양이 요요와 삽니다.

늑대의 선거

초판 1쇄 발행 2021년 03월 15일
초판 2쇄 발행 2021년 06월 25일

글 다비드 칼리 | **그림** 마갈리 클라벨레 | **옮김** 김이슬

편집장 천미진 | **편집** 이정미, 임수현, 민가진
디자인 한지혜, 강혜린 | **마케팅** 한소정 | **경영지원** 구혜지

펴낸이 한혁수 | **펴낸곳** 도서출판 다림 | **등록** 1997.8.1. 제1-2209 호
주소 07228 서울시 영등포구 영신로 220 KnK 디지털타워 1102호 | **전화** (02)538-2913 | **팩스** (02)563-7739
블로그 blog.naver.com/darimbooks | **다림 카페** cafe.naver.com/darimbooks | **전자 우편** darimbooks@hanmail.net

Votez Le Loup by Davide Cali, Magali Clavelet
ⓒ Casterman 2020
All rights reserved.
Translation copyright ⓒ 2021, Darim Publishing Co.
This edition was published by arrangement with Icarias Agency.

ISBN 978-89-6177-164-1 (77860)

책값은 뒤표지에 있습니다.
이 책 내용의 일부 또는 전부를 사용하려면 반드시 저작권자와 도서출판 다림의 서면 동의를 받아야 합니다.
이 책에는 네이버에서 제공한 나눔손글씨가 적용되어 있습니다.

KC **제품명:** 늑대의 선거 | **제조자명:** 도서출판 다림 | **제조국명:** 대한민국 | **전화번호:** 02-538-2913
주소: 서울시 영등포구 영신로 220 KnK 디지털타워 1102호 | **제조년월:** 2021년 06월 25일 | **사용연령:** 4세 이상
※KC마크는 이 제품이 공통안전기준에 적합하였음을 의미합니다.

⚠ 주 의
아이들이 책을 입에 대거나
모서리에 다치지 않게 주의하세요.

늑대의 선거

다비드 칼리 글   마갈리 클라벨레 그림   김이슬 옮김

다림

곧 농장의 새로운 대표를 뽑는 선거가 열릴 거예요.

늘 그랬듯, 후보는 농장의 동물들이죠.

하지만 올해는 처음 보는 후보가 등장했군요.

새로운 후보는 금세 모두에게 주목받기 시작했어요.

파스칼은 매력적이고, 친절하고, 말솜씨도 좋아요.

그는 농장의 모든 동물을 만나 인사하고,

어린이들과 사진 찍는 것도 좋아하죠.

농장의 동물들은 파스칼이 멋있고, 다정하다고 말했어요.

모든 후보가 텔레비전 방송에 출연한 날이었어요.
파스칼은 자신의 생각을 조리 있게 잘 이야기했어요.
좋은 지도자가 될 것 같았죠.

마침내, 선거일이 다가왔어요.

투표하러 모인 동물들은 길게 줄을 섰고,

새로운 대표를 뽑기 위해 모두 한 표씩 던졌어요.

닭들이 모여 개표를 시작했어요.
투표 결과는 금방 나왔죠. 당선자는 바로….

파스칼이었어요!
그날 밤, 파티가 벌어졌어요.
농장의 동물들은 먹고, 마시고, 춤췄어요.

다음 날, 새로운 대표가 된 파스칼은 비서와 장관들을 소개했어요.
모두 진지하고 전문적인 것처럼 보였죠.

하지만 그날 이후, 조금 이상한 일이 벌어지기 시작했어요.
처음엔 양들이 사라지더니,

그다음엔 닭과 생쥐 세 마리가 사라졌어요.

수사를 끝낸 경찰은 황당한 결과를 발표했어요.

그다음 날에도 사라진 동물의 수는 늘어났어요.
양 세 마리, 닭 네 마리, 생쥐 세 마리가 자취를 감췄지요.

불안해진 동물들이 모여들었어요.

하지만 파스칼과 장관들은 아무런 대답도 하지 않았어요.
동물들은 더욱 분노했죠.

동물들이 파스칼의 집무실에 도착하자 경호원이 가로막았어요.

화가 난 동물들은 문을 부수고 들어갔어요.

분노한 동물들이 그들을 덮쳤어요.

그래요, 파스칼은 무척 다정했지만
모두에게 다정한 대표는 아니었던 거예요.

새로운 대표를 뽑는 선거를 열기로 했어요. 이번에는 정말
제대로 된 대표 말이에요. 언제나 그랬듯, 같은 후보들이군요.

아니 잠깐!

이번에도 새로운 후보가 등장했어요.
여우 제라르라고 하네요.